Mais où est donc Hippo ?

Mais où est donc Hippo ?

HAZAN
LOUVRE

C'est l'histoire singulière d'un petit hippopotame égyptien de faïence bleu vif qui a passé l'essentiel de sa vie enfermé : d'abord dans le tombeau d'un haut fonctionnaire de la fin du Moyen Empire, et ensuite dans la vitrine d'un musée !

Notre petit hippopotame (à peine 20 cm de long et 12 de haut) a donc plus de 3500 ans (c'est dire qu'il est très très vieux !). Il a été retrouvé, avec le mobilier et les objets funéraires qui accompagnaient le défunt dans sa tombe.

Sur son corps, on peut voir des dessins qui représentent des plantes aquatiques parfois mêlées à des papillons et des oiseaux et, sur son arrière-train, une fleur de lotus épanouie, comme s'il sortait d'un marécage. Selon un mythe de la genèse, au premier matin de la naissance

Ce petit hippopotame égyptien s'est caché dans d'autres œuvres du musée.

Sauras-tu le trouver ?

Hippopotame,
vers 2033-1710 avant Jésus-Christ
Département des Antiquités égyptiennes

du monde, le soleil émergea d'une fleur de lotus. Pour les anciens Égyptiens, cette statuette d'hippopotame déposée près de la momie servait ainsi à annoncer la renaissance du mort.

Bref, après être resté enfermé des siècles dans un tombeau, ce petit hippopotame a été placé dans une vitrine du musée du Louvre où l'on peut encore l'admirer. On comprend qu'il s'ennuie parfois et qu'il ait envie de se dégourdir les pattes. Alors il décide d'aller se promener et de rendre visite aux autres occupants du musée du Louvre.

Sauras-tu le retrouver ? Ça n'est pas toujours facile car, après être resté aussi longtemps enfermé, il est un peu impressionné et il essaie de se faire très discret.

Modèle de bateau,
vers 2000 avant Jésus-Christ
Département des Antiquités égyptiennes

Le Scribe accroupi
2600-2350 avant Jésus-Christ
Département des Antiquités égyptiennes

La Déesse Hathor accueille Séthi Ier,
vers 1294-1279 avant Jésus-Christ
Département des Antiquités égyptiennes

uve du cercueil intérieur de Tanethéréret,
déesse Nout,
ers 1069-945 avant Jésus-Christ
épartement des Antiquités égyptiennes

Code de Hammurabi, roi de Babylone,
vers 1792-1750 avant Jésus-Christ
Département des Antiquités orientales

Frise des archers de Darius,
Suse, 510 avant Jésus-Christ
Département des Antiquités orientales

Sarcophage des époux,
vers 520-510 avant Jésus-Christ
Département des Antiquités grecques,
étrusques et romaines

Peintre des Aigles
Hydrie de Caeré à figures noires,
Héraclès et Cerbère, vers 525 avant Jésus-Christ
Département des Antiquités grecques,
étrusques et romaines

Aphrodite, dite *Vénus de Milo*,
vers 100 avant Jésus-Christ
Département des Antiquités grecques, étrusques et romaines

Fresque de Pomp
fragment d'une peinture mura
milieu du Ier siècle après Jésus-Chr
Département des Antiquités grecque
étrusques et romain

Charlemagne, ou *Charles le Chauve*,
Bas Empire ou IXe siècle
Département des Objets d'art

Victoire de Samothrace,
vers 190 avant Jésus-Christ
Département des Antiquités grecques,
étrusques et romaines

Paolo Uccello
La Bataille de San Romano,
vers 1435-1440
Département des Peintures

Jean Fouquet
Le Passage du Rubicon par César,
vers 1470-1475
Département des Arts graphiques

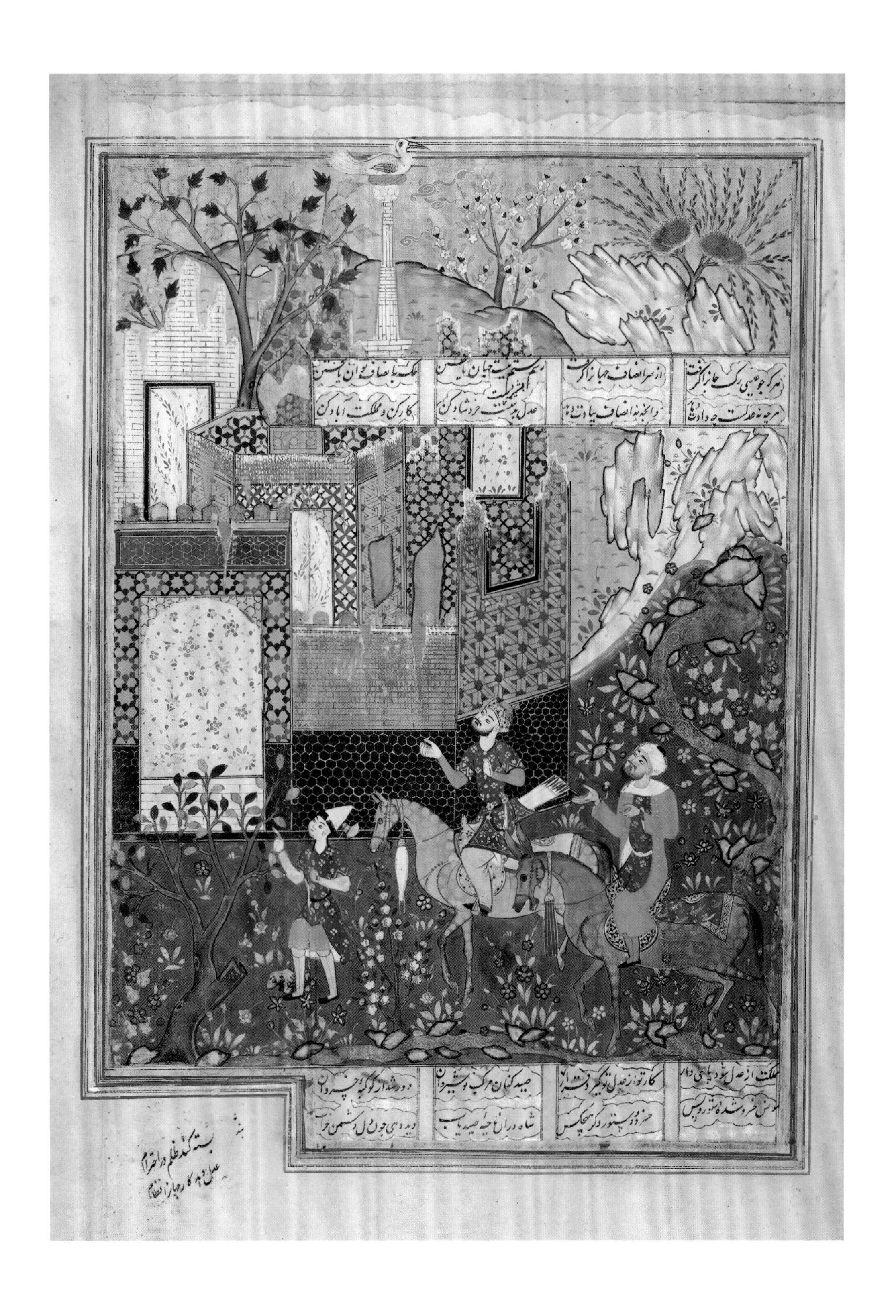

Le Roi Khosrow Anûshîrvân et son vizir devant un palais en ruine,
page d'un Trésor des secrets de Nizâmi, vers 1580
Département des Arts de l'Islam

Plat au paon,
Turquie, Iznik, vers 1550
Département des Arts de l'Islam

Carreaux ottomans,
1630-1660
Département des Arts de l'Islam

Jan Van Eyck
La Vierge du chancelier Rolin,
vers 1434
Département des Peintures

Raphaël
Saint Georges luttant avec le dragon,
1503-1505
Département des Peintures

Léonard de Vinci
La Joconde, 1503-1519
Département des Peintures

Jean Clouet
François Ier, roi de France, vers 1530
Département des Peintures

Raphaël et Giulio Romano
Portrait de Doña Isabel de Requesens, vice-reine de Naples, vers 1518
Département des Peintures

Paolo Caliari, dit Véronèse
Les Noces de Cana,
1562-1563
Département des Peintures

Albrecht Dürer
Autoportrait de l'artiste tenant un chardon, 1493
Département des Peintures

Quentin Metsys
Le Prêteur et sa femme, 1514
Département des Peintures

Lucas Van Valckenborch
La Tour de Babel, 1594
Département des Peintures

Samuel Van Hoogstraten
Vue d'intérieur,
ou *Les Pantoufles,*
1654-1662
Département
des Peintures

Georges de La Tour
Le Tricheur à l'as de carreau, vers 1635
Département des Peintures

Johannes Vermeer
La Dentellière, vers 1669-1670
Département des Peintures

Johannes Vermeer
L'Astronome, dit aussi *L'Astrologue*, 1668
Département des Peintures

Hyacinthe Rigaud
Louis XIV,
roi de France, 1701
Département
des Peintures

Jean-Antoine Watteau
Pierrot, vers 1718-1719
Département des Peintures

Jacques Louis David
Sacre de l'empereur Napoléon Ier
et couronnement de l'impératrice Joséphine
dans la cathédrale Notre-Dame de Paris
le 2 décembre 1804, 1806-1808
Département des Peintures

Théodore Géricault
Cuirassier blessé quittant le feu, 1813-1814
Département des Peintures

Eugène Delacroix
Le 28 juillet 1830 : la Liberté guidant le peuple, 1831
Département des Peintures

Et voilà où se cache Hippo...

page 5

page 6

page 7

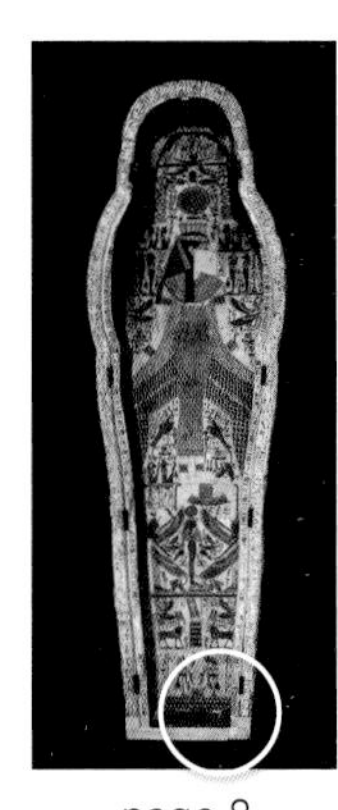
page 8

page 9

pages 10-11

page 12

page 13

page 14

page 15

page 16

page 17

pages 18-19

page 20

page 21

page 22

page 23

pages 24-25

page 26

page 27

page 28

page 29

pages 30-31

page 32

page 33

pages 34-35

page 36

page 37

page 38

page 39

page 40

page 41

pages 42-43

page 44

page 45

Crédits photographiques :
p. 1, 2, 4-5, 6, 7, 48 : Photo © Musée du Louvre, Dist. RMN-Grand Palais / Christian Decamps
p. 3 : Photo © Musée du Louvre, Dist. RMN-Grand Palais / Olivier Ouadah
p. 8, 36 : Photo © Musée du Louvre, Dist. RMN-Grand Palais / Georges Poncet
p. 9, 10-11, 41 : Photo © RMN-Grand Palais (musée du Louvre) / Franck Raux
p. 12, 13, 14, 24-25, 28 : Photo (C) RMN-Grand Palais (musée du Louvre) / Hervé Lewandowski
p. 15, 40 : Photo © RMN-Grand Palais (musée du Louvre) / Stéphane Maréchalle
p. 16 : Photo © Musée du Louvre, Dist. RMN-Grand Palais / Thierry Ollivier
p. 17 : Photo © RMN-Grand Palais (musée du Louvre) / Droits réservés
p. 18-19, 22, 26 : Photo © RMN-Grand Palais (musée du Louvre) / Jean-Gilles Berizzi
p. 20 : Photo © RMN-Grand Palais (musée du Louvre) / Thierry Le Mage
p. 21, 23 : Photo © Musée du Louvre, Dist. RMN-Grand Palais / Raphaël Chipault
p. 27, 30-31 : Photo © RMN-Grand Palais (musée du Louvre) / Michel Urtado
p. 29, 34-35, 38, 44 : Photo © RMN-Grand Palais (Château de Fontainebleau) / Gérard Blot
p. 32 : Photo © RMN-Grand Palais (musée du Louvre) / Thierry Ollivier
p. 33 : Photo © RMN-Grand Palais (musée du Louvre) / Tony Querrec
p. 37 : Photo © RMN-Grand Palais (musée du Louvre) / Adrien Didierjean
p. 39 : Photo © RMN-Grand Palais (musée du Louvre) / René-Gabriel Ojéda
p. 42-43 : Photo © Musée du Louvre, Dist. RMN-Grand Palais / Angèle Dequier
p. 45 : Photo © Musée du Louvre, Dist. RMN-Grand Palais / Philippe Fuzeau

Conception éditoriale :
a dog

Éditions Hazan :
Jérôme Gille et Claire Hostalier

ISBN : 978-2-75411-036-5

Dépôt légal : septembre 2017

Loi n° 49-956 du 16 juillet 1949 sur les publications destinées à la jeunesse,
modifiée par la loi n° 2011-525 du 17 mai 2011 : mars 2017.

Achevé d'imprimer en septembre 2017 sur les presses de Printer Trento, en Italie.

Mais où est donc Hippo ?